De Brokkendief

Vrouwke Klapwijk

met illustraties van
Marja Meijer

Callenbach

© Uitgeverij Callenbach – Kampen, 2007
Postbus 5018, 8260 GA Kampen
www.kok.nl

Omslagillustratie Marja Meijer
Omslagontwerp Hendriks.net
Illustraties binnenwerk Marja Meijer
Layout/dtp Gerard de Groot
ISBN 978 90 266 1432 3
NUR 282/283
AVI 4
Leeftijd vanaf 7 jaar

Inhoud

1. De vogel

'Mam!
Kom gauw.
Spinsel...'
Stijn trekt de deur van de keuken open. Mama
staat bij de oven. Ze pakt er een bakblik uit.
'Spinsel?
Wat is er met Spinsel?'
Mama schudt iets uit het blik. Het valt met een
plof op het aanrecht.
'Spinsel heeft een vogel,' roept Stijn.
'Hij laat hem niet los!
Kom nou!'
'Hè, nee,' zegt mama.
'Alweer?
Waar?'
'Achter in de tuin,' roept Stijn.
Hij holt de tuin weer in. Mama loopt vlug
achter hem aan.
Ze heeft de ovenwant nog in haar hand.

'Laat los!' roept Stijn.
'Stomme kat.

Laat die vogel los.'
Stijn loopt naar Spinsel. Hij strekt zijn been.
'Niet doen, Stijn,' zegt mama streng.
'Je mag Spinsel niet schoppen.
Probeer hem te pakken.
Dan zorg ik voor de vogel.'
Spinsel zit onder een struik. Zijn rug is krom en
zijn staart is dik.
'Sssssssjjj.'
Hij blaast naar Stijn. De vogel ligt voor hem op
de grond.
Het diertje beweegt niet.
Stijn bukt zich. Hij steekt zijn handen vooruit.
Voorzichtig doet hij een stap naar voren.

'Kom dan, Spinsel,' zegt hij zacht.
'Kom.
Dan krijg je brokjes.'
De poes kijkt Stijn strak aan. Net of hij het niet
vertrouwt.
'Lekker brokjes.
Een bak vol,' dringt Stijn aan.
'Kom dan.'
Stijn doet nog een stap vooruit. Opeens duikt
hij omlaag.
Zijn handen grijpen naar Spinsel. Hij pakt de
poes stevig vast.
'Mam!
Pak de vogel!' roept hij.
'Vlug.'
Mama bukt snel. Ze graait naar de grond.
'Hebbes,' roept ze.
'Laat Spinsel maar weer los.'

Het vogeltje ligt op de ovenwant. Zijn lijfje gaat
snel op en neer.
'Hij leeft nog,' stelt Stijn snel vast.
'Gelukkig.'
Stijn aait de vogel over zijn kop. Zijn bekje gaat
open.
'Het is een jonkie.
Moet hij naar de dierenarts?'

'Nee,' zegt mama.
Ze bekijkt het vogeltje van alle kanten.
'Volgens mij hoeft dat niet.
Hij is erg geschrokken.
Spinsel heeft met hem gespeeld.
Pak maar een doos uit de schuur.
En een oude doek.
Dan mag hij een poosje in huis.'
'Tot hij beter is?' vraagt Stijn.
'Ja, hoor,' lacht mama.
'Tot hij helemaal beter is.'

2. Een grote snoeperd

Stijn komt uit de schuur. Hij heeft een doos gepakt.
Er zaten oude kranten in. Die heeft hij eruit geschud.
'MIAAAUUWW!'
Spinsel strijkt zijn kop langs de benen van Stijn.
'Ga weg,' zegt Stijn boos.
'Je bent niet lief.
Je bent een vogeldief.'
'Nee, Stijn,' zegt mama.
'Dat snapt Spinsel niet.
Een poes is een jager.
Dat zit in de aard van het beest.
Kom.
Dit vogeltje moet naar binnen.'
Mama aait zacht over een vleugel. Het is net of de vogel minder bibbert.
'Stil maar,' fluistert ze.
'We zullen goed voor je zorgen.'
Dan draait ze zich om. Ze loopt terug naar de keuken.

'Stijn, wil jij de deur voor me opendoen?'
'Goed hoor.'
Stijn loopt naar de deur. Hij gooit de doos
omhoog.
Dan vangt hij hem weer op. Stijn gooit de doos
nog een keer omhoog.
'Toe, Stijn,' bromt mama.
'Schiet eens op.
De cake ligt nog op het aanrecht.'
Stijn trekt de deur open.
'DOERAK!
Wat doe je met mijn cake?'
De ogen van mama worden groot van
verbazing. Op de vloer in de keuken ligt de
cake. Of eigenlijk…
Wat er nog van over is.
Doerak staat ernaast. Hij kijkt op. Zijn bek zit
vol kruimels.
'Stoute hond.
Ga naar je mand,' roept mama boos.
'Hoe durf je!
Je bent al veel te dik.'
Ze schuift Doerak met haar been aan de kant.

'Wat gebeurt hier?'
De deur naar de gang piept open. Twee
hoofden kijken om de deur.

Het zijn Mirjam en Tamar. De zussen van Stijn.
Tamar is de oudste. Ze gaat al naar een andere
school. Mirjam zit nog bij Stijn op school.
'O nee, mam,' lacht Tamar.
Ze kijkt van de hond naar haar moeder.
'Is Doerak weer bezig?
Hij weet het echt wel.
Uw cake is het lekkerst van allemaal.'
'Lach niet.
Help liever,' moppert mama.
'Hier.
Pak jij die vogel even aan.
Stijn heeft een doos.
Zet hem daar maar in.
En Tamar.
Jij brengt Doerak naar de kamer.
Nee.
Toch maar niet.
Breng hem naar buiten.
Ik wil hem even niet zien.'

'Ohhhh,' zegt Mirjam.
Ze pakt de vogel aan.
'Een jonge merel.
Is hij gewond?'
'Nee,' zegt mama.
Ze pakt een paar stukken cake van de grond.

14

'Ik denk dat het meevalt.
We waren er net op tijd bij.
Spinsel heeft hem even te pakken gehad.'
Mama zucht diep. Ze kijkt naar de kruimels op
de vloer.
'Wat moet je nou met zo'n hond?'
'Ja, mam.'
Stijn lacht.
'Hij is net als Spinsel.
Het zit in zijn aard.
Doerak is een grote snoeperd.'
'Dat is best,' zegt mama.
Maar haar gezicht lacht.
'Als het maar niet van mijn cake is.'

3. Net een hotel

'Kijk eens!
De merel zit alweer rechtop.'
Stijn buigt zich over de doos. De doos staat in
de kamer.
Naast de bak van Slaatje Bla, de schildpad van
Mirjam.
Stijn raakt de merel aan. Maar de vogel hipt
verschrikt weg.
'Stil maar,' zegt Stijn.
'Ik doe niets.
Je bent lief.'

'Zo.
De keuken is weer schoon.
Ik heb drinken!'
Mama komt de kamer in. Ze draagt een blad
met glazen.
Daar staat ook een schaal met koekjes op.
'Jammer, geen cake.
Die ligt in de kliko.'
'Alles?' vraagt Mirjam.
'Er was toch nog iets over?'

'Een klein stukje,' zegt mama.
'Maar daar kun je niet van eten.
Dat is niet fris.
Trouwens…
Wie geeft Doerak straks eten?
Hij krijgt minder brokken.
Hij heeft vandaag al genoeg gehad.'
Opeens gaat de deur open.
'Hoi, pap!' roept Stijn.
'Kijk eens in de doos.
We hebben een vogel.'
'Een vogel?
Is er weer iets zieligs in de tuin geland?'
Papa loopt de kamer in. Hij bukt naast de doos.
'Een jonge merel.
Hij ziet er een beetje bang uit.'
'Klopt,' zegt Tamar.
Ze hangt met haar benen over de bank.
'Ons lief poesje is weer bezig geweest.
Hij kon zijn pootjes niet thuis houden.
Het lijkt hier soms net een hotel.
Een bange vogel.
Een verdwaald duifje.
Of een eenzaam konijn.'
Papa knikt.
'Ja, net een hotel…' zegt hij langzaam.
Dan loopt hij naar mama.

Hij geeft haar een kus.
'Zullen we het nu zeggen?'

Zeggen?
Drie paar ogen kijken verbaasd op.

4. Verhuizen

'We willen jullie wat vertellen.'
Papa gaat naast mama zitten. Hij pakt haar hand.
'Oeps,' mompelt Tamar.
'Dit is echt…'
Stijn kijkt naar zijn vader en moeder. Hun gezichten staan ernstig.
Stijn slikt. Hij voelt een prop in zijn keel. En een bibber in zijn buik.

'We gaan verhuizen.'
Het is opeens stil in de kamer. Heel stil.
Stijn slikt nog een keer.
'Verhuizen?' vraagt hij zacht.
Papa knikt.
Stijn denkt na. Verhuizen…
Dat is een ander huis. Een andere plaats. Niet meer naar je eigen school. En je vrienden?
'Waarom?' roept Mirjam.
Ze zit op het randje van de stoel.
Haar stem klinkt boos.
'We wonen hier toch goed!

Ik vind het stom!
Ik wil hier niet weg.'
'Maar als ik nu iets meer vertel?' zegt papa.
'Meer?'
Mirjam kijkt papa vragend aan.
'Over waarom,' antwoordt hij.
'En waarheen.
En wanneer...'
Mirjam zegt niets. Ze wrijft met haar voet over
de vloer.
'Goed,' zegt ze dan.
'Maar ik ga niet mee.
Als u dat maar weet.
Ik blijf hier.'
Stijn kijkt naar zijn zus. Haar wangen zijn rood.
En haar ogen kijken boos.
Waarom doet ze zo?
Verhuizen is toch niet erg?
Nou ja...
Misschien even. In het begin.

'Vertel op, pap,' roept Tamar.
'Ik vind het reuze spannend.
Wacht even...
Heeft het iets met een hotel te maken?'
Papa lacht.
'Slimmerd,' zegt hij.

'Het heeft met een hotel te maken.
Maar geen gewoon hotel.
Het is een hotel voor dieren.'

5. Doerak heeft spijt

Stijn trekt een rimpel in zijn voorhoofd. Hij
begrijpt het niet.
'Een hotel voor dieren?
Net als een hotel voor mensen?'
Mama knikt.
'Het lijkt erop.
Het dier logeert dan bij ons.
Als het baasje ziek is.
Of een poosje weggaat.
Meestal blijft hij een hele week.
Maar soms twee of drie weken.'
'Dat kan toch ook in dit huis?' roept Mirjam.
'Daarvoor hoeven we toch niet weg?'
'Jawel,' legt mama uit.
'Nu zijn het één of twee dieren.
Maar dan zijn het er twintig.
Of dertig.
Daar is dit huis echt te klein voor.
Waar moeten we die dieren laten?'

Stijn staart door het raam.
Verhuizen... Een hotel voor dieren...

Het is ineens zo veel.

Stijn voelt een arm om zijn schouder. Het is mama.

'En…

Waar denk je nu aan?'

'Weet ik niet,' zegt Stijn zacht.

Mama trekt Stijn tegen zich aan.

'Weet je nog…

Toen jij klein was.

Je kwam met van alles thuis.

Een slakje of een mier.

Een kikker of een rups.

Die stopte je dan in een potje.

Of in een doos met een gat.

Niets mocht weg.'

Stijn grinnikt. Hij ziet het weer voor zich. Mama vond het niet altijd leuk. Soms had hij wel tien potjes. Op zijn kamer. Of in de schuur.

Stijn gaat ineens rechtop zitten. Zijn ogen glimmen.

'Weet u nog?

Van die kikkers in uw jaszak.'

'Ja.'

Mama griezelt even.

'Ik had niets in de gaten.

Tot ik wat in mijn zak wilde stoppen.

Brrrr.

Je had er wel drie ingestopt.
Ik schrok echt.'

Prrriep!
Een hondenkop kijkt om de deur.
'Doerak!
Hoe kom jij binnen?'
Mama draait zich verbaasd om naar Tamar.
'Jij had hem toch naar buiten gebracht?'
Tamar knikt.
'Kan hij zelf de deur open krijgen?' vraagt ze.
Mama schudt haar hoofd.
'Niet dat ik weet.
Dat zou nieuw zijn.'
Doerak loopt door de kamer. Naar mama. Hij
legt zijn kop op haar schoot. Dan kijkt hij mama
aan. Met grote bruine ogen.

'O, mam,' roept Tamar.
Ze veegt langs haar ogen.
'Ik moet er bijna van huilen.
Moet je hem nou eens zien.
Hij heeft er spijt van.
Volgens mij zegt hij sorry.
Sorry voor die cake.
Ik zal het nooit meer doen.'
'Doerak, Doerak,' zegt mama.

Ze slaat haar armen om de hond heen. Dan
geeft ze hem een kus op zijn kop.
'Wat moet ik toch met jou?
Je bent een echte doerak.
Maar alle gekheid op een stokje.
Papa en ik hebben nagedacht.
En veel gepraat.
Tot we het zeker wisten.
Wij willen voor dieren zorgen.
Elke dag.
We hebben op internet gezocht.
We keken in kranten.
Tot we iets leuks zagen...'
Mama staat op. Ze loopt naar een hoek van de
kamer.
Daar staat de computer. Ze klikt een paar keer.
Er verschijnt een foto op het scherm.
'Dit wordt het!'

6. Ik ga niet mee!

Stijn rent naar de computer. Maar Mirjam is er eerder.
'Dat?' roept ze.
'Wat een ouwe troep!
Daar ga ik echt niet wonen!'
Op het scherm is een laag gebouw te zien. Een deur staat half open. Tegen een muur ligt een hoop stenen. Het gras is niet gemaaid. Het is net of er niemand meer woont.

'Het lijkt wel een varkensschuur.
Ik ga niet mee!
Ik wil geen ander huis.
Ik wil geen nieuwe school.
Ik wil hier blijven.'
Mirjam rent de kamer uit. De deur slaat met
een klap dicht.
Mirjam roffelt de trap op. Boven klinkt nog een
harde bons.
Dan is het stil.
'Zo.
Die is weg,' zegt Tamar.
'Ze heeft er duidelijk geen zin in.'

'Dat is niet aardig, Tamar.'
Mama zucht even diep.
'Dit had ik niet verwacht van Mirjam.
Ik ga straks wel met haar praten.
Maar wat vinden jullie ervan?'
'Ehm...' zegt Tamar.
'Even wennen.
Het lijkt me wel leuk.
Gaat pap dan niet meer naar zijn werk?'
'Nee,' zegt papa.
Hij slaat zijn armen over elkaar.
'Dan ben ik altijd thuis.'
'Echt?'

De ogen van Stijn glimmen.
'Kunnen we elke dag voetballen.'
'Ho, meneer,' lacht papa.
'Dat had je gedacht.
Ik ben wel thuis.
Maar thuis wordt mijn werk.
Ik moet dieren voeren.
Honden uitlaten.
Hokken schoonmaken.
En nog veel meer.
Daar kan ik best wat hulp bij gebruiken.'
'Goed,' zegt Stijn.
Dan wijst hij naar het scherm. Hij trekt zijn
neus op.
'Gaan we daar echt wonen?'

Papa schudt zijn hoofd.
'Nee, hoor.
Mirjam heeft wel een beetje gelijk.
Dit is een schuur voor varkens.
Of liever, het is een varkensschuur geweest.
Maar ik ga de schuur eerst op knappen.
Van onder tot boven.
Je zult eens zien.
Het wordt een echt hotel.
Een hotel met vijf sterren.'
Papa klikt met de muis.

'Kijk.
Dit wordt ons nieuwe huis.'
Stijn ziet een andere foto. Van een vierkant
huis. Met een groot grasveld ervoor.
Stijn haalt opgelucht adem. Dat ziet er beter
uit.
'Super,' zegt Tamar.
'Wordt dat het echt?
Krijg ik dan een eigen kamer?'
'Natuurlijk,' zegt mama.
'We hebben zelfs nog een kamer over.
En er is een heel grote zolder.'
'Top!' joelt Tamar.
'Dan geef ik een slaapfeest.
Voor al mijn vrienden van school.
Oeps.
Ik roep wel zo hard.
Maar is het dan nog wel mijn school?
Waar is het?'

7. Krijg ik dan een skelter?

'Ahum,' kucht papa.
'Dat wil je misschien niet weten.'
'Vertel...' dringt Tamar aan.
'Is het zo erg?'
'Niet echt,' zegt papa.
'Wij vinden het daar heel mooi.
Het huis ligt net buiten het dorp.'
'Een dorp?' roept Tamar.
'Zo'n klein gehucht?
Met twee of drie huizen?'
Tamar rolt met haar ogen.
'Zeg dat het niet waar is.'
'Nee, hoor,' lacht papa.
'Het is een heel groot dorp.
Er is zelfs een school voor jou.'
'Gelukkig!'
Tamar haalt opgelucht adem.
'En voor mij?'
Stijn kijkt papa vragend aan.
'Ja, voor jou en Mirjam ook.
Maar jullie moeten wel op de fiets.
Lopen is er niet meer bij.'

'Geeft niet,' zegt Stijn.
Fietsen naar school. Dat lijkt hem leuk.

Mama staat op.
'Ik ga even naar Mirjam.'
Ze loopt de kamer uit. Stijn hoort haar op de trap.
Hij bijt op zijn lip. Waarom is Mirjam zo boos?
Verhuizen is best leuk.
'Wanneer mogen wij het zien?' vraagt Stijn.
'Vandaag,' zegt papa.
'Vandaag?' gilt Tamar.
Ze slaat haar armen om papa heen.
'Echt?'
Papa knikt.
'Daarom ben ik zo vroeg thuis.
Doe je een beetje voorzichtig.
Je keelt me.'
'Zijn jullie er al geweest?' vraagt Stijn.
'Hoe groot is het?
Wonen er meer mensen in de buurt?'
Hij wil ineens heel veel weten.
'Ho, stop!' roept papa.
'Niet alles tegelijk.
Mama en ik zijn er al een paar keer geweest.'
'Dus daarom waren jullie zo vaak weg.'
Nu begrijpt Stijn het.

'Waarom hebben jullie het niet eerder verteld?'
'Tja,' zegt papa.
'Stel dat het niet door zou gaan.
Dan heb je misschien al plannen gemaakt.
Voor niks.
Dat is niet leuk.'
De deur van de kamer gaat open. Mirjam en
mama komen binnen.
'Het is goed,' zegt mama.
Haar stem klinkt blij.
Stijn kijkt zijn zus aan. Haar ogen zijn rood. Ze
heeft gehuild.
'We hebben gepraat,' zegt mama.
'Mirjam schrok erg.
Daarom was ze zo boos.
Maar dat is nu weer over.'
'Fijn,' zegt papa.
Hij geeft Mirjam een kus.
'Ik krijg een pony,' zegt ze.
'Wat?
Een echte pony?
Wie zegt dat?'
'Mama.'
'Dat doet maar,' bromt papa.
Maar hij meent het niet. Stijn hoort het aan zijn
stem.

'Krijg ik dan een skelter?'
Stijn trekt mama aan haar arm.
'Zo'n echte.
Met een bak erachter.
Toe, mam.'
Stijn kijkt zijn moeder smekend aan. Mama
lacht.
'Nu kan ik geen nee zeggen.
Goed, jij krijgt een skelter.'
'Echt?'
Stijn juicht.
Hij rent naar de mand van Doerak. Met een
plof valt hij boven op de hond. Hij klemt zijn

armen om Doerak.
'Yes,' roept hij.
'Ik krijg een skelter.
En jij mag mee in de bak.'
WRRRIEF!
Er klinkt een zacht gepiep uit de keel van
Doerak.
'Ach.
Doe ik je pijn?
Gekke hond.
Slaap maar lekker verder.'

8. Doerak rent

Stijn is verhuisd. Het afscheid op school is geweest. Het was niet leuk. Weggaan voelt niet fijn. Maar er komt iets nieuws. En dat is wel weer leuk.
Hij heeft een boek van zijn klas gekregen. Het gaat over honden. Welke rassen er zijn. Hoe je ze verzorgt. En nog veel meer.
Het boek ligt naast zijn bed. Hij leest er vaak in.

Stijn zit buiten. Op het grasveld voor het huis. Hij weet niet wat hij moet doen. Iedereen is bezig.
Papa zaagt en timmert. De hele dag door. Het hotel wordt heel mooi. Maar papa heeft nog geen klusje voor hem.
Mama schuurt en verft. Met wit en blauw.
'Ik doe de voorraad,' zegt Tamar.
Ze sjouwt zakken voer naar het magazijn. Daar stapelt ze alles netjes op.
Over een week begint de vakantie. Dan komen de eerste dieren.

Stijn stopt een grasspriet in zijn mond. Hij
kauwt erop. Het smaakt een beetje zuur.
Doerak sjokt om hem heen. Misschien wil hij
wel…
Op de grond ligt een kleine bal. Stijn pakt hem
op. Hij gooit de bal met een flinke zwaai weg.
'Haal, Doerak!
Haal!'
Doerak kijkt naar de bal. Dan zakt hij op het
gras. Hij legt zijn kop op zijn poten.
'Wat ben jij toch lui!' zegt Stijn.
'En veel te dik.
Je moet springen en rennen.
Kom!'
Stijn rent het grasveld af. Hij holt langs de
schuur. Doerak sukkelt mee.
Achter de schuur is Mirjam. Ze verft de
schutting wit.
'Dat staat lekker fris,' heeft mama gezegd.
Over een paar weken komt Mirjams pony. Van
haar mag hij morgen wel komen. Maar dat kan
niet.
Er moet nog een hek om de wei. En daar heeft
papa nu geen tijd voor. Eerst moet het hotel af.
Zijn skelter is ook besteld. Ze bellen als hij er
is.

'Tien rondjes om de verfbus,' roept Stijn.
Hij houdt zijn armen wijd. Net of hij vliegt.
Doerak loopt wat harder. Met zijn tong uit zijn
bek.
'Vier… vijf… zes.
Nog vier rondjes.
Hou vol, Doerak.
Je kunt het!'
Maar dan…
Komt het door zijn poot? Of door zijn staart? Of
misschien door zijn kop?
De bus verf valt om. De verf vloeit uit de bus.
Over de tegels.
'Sufferd!' roept Mirjam.
Ze stampt op de grond.
'Kijk nou wat je doet!
Ga ergens anders spelen.'
Stijn staart naar de verf. Hij houdt even zijn
adem in.
Oei.
Dat was niet de bedoeling…

9. Een lekker werkje

'MAM!' gilt Mirjam.
'Stijn!'
Doerak schrikt van Mirjam. Hij stapt achteruit.
Dwars door de verf.
'Doerak!'
Kom hier!'
Stijn grijpt Doerak bij zijn halsband. Hij trekt
hem opzij. Maar nu staan er witte pootjes.

'Wat gebeurt hier?'
Mama komt verbaasd kijken.
'Ik hoor zoveel geschreeuw.'
'Kijk eens!' roept Mirjam.
Ze wijst naar de tegels.
'Dat heeft Stijn gedaan.'
'Nietes.
Dat heb ik niet gedaan.
Dat komt door Doerak.'
'Het kan me niet schelen,' zegt mama.
Haar stem klinkt boos.
'Kan dat niet anders?
Neem Doerak mee.

Je maakt hem zelf schoon.
Met water en zeep.
En denk erom.
Je komt niet binnen.
Je doet het maar buiten.
Achter het huis.
Daar is wel een kraan.
En Stijn...
Vergeet de stoep niet.'
Stijn wil nog wat zeggen. Maar dan perst hij
zijn lippen op elkaar. Hij kan beter zijn mond
houden.
Mama is boos. Dat merkt hij best.

Stijn kijkt vertwijfeld om zich heen. Hij kan
Doerak niet laten lopen. Dan komen er nog
meer witte vlekken.
Dat wordt dragen. Er zit niets anders op.
Stijn pakt Doerak op. Met twee armen om zijn
poten.
'Oefff,' zucht Stijn.
'Wat ben jij zwaar!
Wat eet jij toch?
Zijn jouw brokken soms van beton?'
Stijn sjouwt Doerak naar huis. Bij de kraan
hangt een borstel.
Maar er staat geen zeep.

Stijn zucht. Ook dat nog. Hij probeert het eerst
wel zonder zeep. Mama is er toch niet.

Stijn klemt Doerak tussen zijn benen. Dan
draait hij de kraan open. Het water spat op de
grond. En op Doerak.
Doerak schudt met zijn kop. Hij probeert zich
los te rukken.
'Blijf staan,' bromt Stijn.
Hij klemt Doerak stevig vast.
'Waarom loop je door de verf?
Dat doe ik toch ook niet.'

Stijn pakt een poot van Doerak. Hij houdt hem
onder de kraan. Het water wordt wit. En de
poot langzaam weer zwart.
Gelukkig. Het gaat er zonder zeep ook af. Maar
Doerak vindt het niet leuk. Hij draait alle kanten
op.
Eindelijk is Stijn klaar. Hij doet de kraan dicht.
'Ziezo,' zegt hij.
'Je mag weer los.'
Doerak loopt gelijk weg. Een eindje verder
blijft hij staan. Daar schudt hij zijn vacht droog.

'Dat was een lekker werkje.'
Stijn draait zich om. Wie zegt dat?
Waar komt die stem vandaan?

10. Veerle

Miauuuw!
Hè?
Stijn fronst zijn voorhoofd. Dat is het geluid
van Spinsel. Het lijkt wel of het uit de boom
komt. De boom in de tuin van de buren. Komt
die stem daar soms ook vandaan?

'Hier.
Pak die kat eens aan.
Wat kan dat beest krabben, zeg.
Ik heb net een musje van de dood gered.
Dat hipte rustig op ons gras.
Komt daar ineens die kat aansluipen.
Zit hij altijd achter vogels aan?'
De stem komt uit de boom. Stijn ziet alleen
bladeren. Maar opeens bungelen er twee
benen uit de boom. De benen zakken lager en
lager. Dan ziet Stijn een lijf. En een hoofd.
Het is van een meisje. Haar voeten raken de
muur. Een tel later staat ze er bovenop. Ze
heeft een poes onder haar arm geklemd.
'Hoi,' zegt ze.

Dan springt ze op de grond.
'Spinsel?' roept Stijn verbaasd.
Hij pakt de poes van het meisje aan.
'Dus toch!
Zat je weer achter de vogels aan?
Laat die beestjes nou eens met rust.'
Stijn kijkt Spinsel strak in de ogen.
'Dat mag niet.
Dat weet je best.'
Mrrrauuw!
Spinsel wrijft zijn kop tegen Stijns arm.
'Nee,' waarschuwt Stijn.
'Nu doe je net of je niets weet.
Maar daar trap ik niet in.'
Stijn zet Spinsel op de grond.

'Hoe heet jij?' vraagt het meisje.
'Stijn.'
'Jullie krijgen een hotel?'
'Hoe weet jij dat?' vraagt Stijn.
'Van mijn moeder gehoord.
In dit dorp weet je veel van elkaar.
Een hotel voor dieren.
Dat lijkt me leuk.
Ik heet Veerle.
Maar ze noemen me vaak Veer.'
Stijn kijkt naar Veerle. Ze heeft lang blond haar.

Dat zit in een staart.
'Mag ik het zien?' vraagt Veerle.
'Wat?'
'Jullie hotel natuurlijk.'
Stijn denkt na. Veerle lijkt hem een leuk meisje.
Misschien komt hij wel bij haar school. Of bij
haar in de klas.
'Goed.
Kom maar mee.'

11. Hier is het

'Hier is het,' zegt Stijn.
'En dat is mijn moeder.'
Ze staan voor de schuur. Maar het lijkt niet
meer op een schuur. Het lijkt nu op een hotel.
In het midden is de ingang. Met een mooi
afdak er boven.
De deuren staan wijd open. Mama heeft een
pot verf in haar hand. Ze verft de voordeur
blauw.
'Dag,' zegt mama.
'Ik geef je geen hand.
Dan ben je ook blauw.'
'Mam.
Dit is Veerle,' vertelt Stijn.
'Ze woont naast ons.
Ze wil ons hotel graag zien.'
'Prima,' antwoordt mama.
'Kijk je wel uit.
Alles is nog nat van de verf.'
Stijn en Veerle lopen naar binnen.
'Wacht even,' roept mama.
'Hoe is het met Doerak?

Is hij weer helemaal schoon?
En de stoep?'
Oeps…
Stijn draait zich om.
'Doerak is schoon.
Maar de stoep nog niet.
Dat doe ik straks.
Ik beloof het.'
'Eh… goed.'
Mama aarzelt even.
'Als je het dan ook echt doet.'

Stijn loopt verder.
'Dit is de hal,' vertelt hij.
'Hier komt iedereen binnen.'
In de hal staat een ronde tafel met stoelen.
Er is ook een balie.
Met een computer.
'Daar komen de honden,' zegt Stijn.
Hij wijst naar een dichte deur.
'Het is nu nog leeg.
Maar volgende week niet meer.
Dan zijn de eerste gasten er.'
Veerle lacht.
'Wat klinkt dat leuk,' zegt ze.
'De eerste gasten.
Net als bij een echt hotel.'

'Maar we zijn ook een echt hotel,'
zegt Stijn trots.
'Dan ben jij zeker de ober.
Ik zie het al voor me,' zegt Veerle.
Ze maakt een buiging. Net of ze het eten
opdient.
'Alstublieft, meneer Bello.
Hier is uw brokkensoep.
Ik hoop dat u ervan geniet.'
Stijn grinnikt. Veerle is echt leuk. Hij pakt de
klink van de deur. En duwt hem omlaag.
Maar dan…
'Plofff.'

12. Brokken

Tamar rolt de hal binnen. Ze heeft een grote
zak voer in haar handen. De zak valt op de
grond. Hij scheurt open. Van boven tot onder.
De brokken rollen over de vloer.
'Super, Stijn.
Echt super.
Kon je niet zien dat ik daar stond?
Ik wilde de deur net opendoen.'
Tamar komt overeind. Ze schopt een paar
brokken aan de kant.
'Je ruimt het zelf maar op.
Weer een zak kapot.
Zo blijf ik aan de gang.'

Mama staat ineens achter Stijn. Ze kijkt naar de
grond.
'Mmm,' zegt ze.
'Dat is niet zo leuk.
Hoe komt dat?'
'Door Stijn!'
Tamar wijst naar haar broertje.
'Niet waar,' roept Stijn.

'Jij stond achter die deur.
Dat kon ik toch niet zien.'
Mama zucht.
'Dit is de tweede keer, Stijn.
Wat heb jij vandaag?'
'Niets,' zegt Stijn.
'Ik kon er echt niets aan doen.'
'Jullie ruimen het samen op,' beslist mama.
'Pak maar een vuilniszak.'
Maar dan…
Er schiet iets tussen Stijn en Veerle door. Het is
Doerak.

Hij hapt naar de brokken. Je hoort ze breken
tussen zijn kiezen.
'Ook dat nog,' roept mama.
Ze steekt haar armen in de lucht.
'Pak die hond hier weg.'
Stijn pakt Doerak bij zijn halsband. Hij trekt
hem terug.
'Dat mag niet,' zegt Stijn.
'Het is hem weer gelukt,' lacht Tamar.
Ze is niet boos meer. Het is ook zo'n raar
gezicht.
'Als er maar ergens iets te eten is.
Dan is Doerak van de partij.
Hij is onze supersnoeperd.
Laat hem toch even, mam.
Wat maken die paar brokjes nou uit?'

'Nee,' zegt mama.
'Dat is niet goed voor hem.
Hij wordt veel te dik.
Maar ik heb geen idee hoe dat komt.
Wat zei je nou net, Tamar?
Is er nog een zak voer kapot?'
'Ja.'
Tamar knikt.
'In de kast liggen twee zakken met een scheur.
Net of daar iemand aan heeft geknaagd.

Maar het zijn geen muizen.
Daar is het gat te groot voor.
Ik zou niet weten hoe het komt.'
'Plak het maar dicht met plakband,' zegt
mama.
'En hou het in de gaten.
Als je weer iets ziet…'
'Hé, Stijn,' roept Tamar.
Ze wijst naar Doerak. Hij kan met zijn kop weer
bij de brokken. En daar maakt hij dankbaar
gebruik van.
'Let eens op Doerak.
Zal ik zijn bek ook dichtplakken?
Dat kan volgens mij geen kwaad.'

13. Hoor jij wat ik hoor?

'Hoorde je dat?' vraagt Stijn aan Veerle.
Ze lopen terug door de hal.
'Wat?'
'Er zijn twee zakken kapot.
En het komt niet door muizen.'
'Nou en?' zegt Veerle.
'Dan is er een dief,' zegt Stijn.
Veerle lacht.
'Jij leest te veel.
Dat gebeurt alleen in een boek.
Hoe kan hier een dief zijn?'
Stijn haalt zijn schouders op.
'Misschien is het een rat.
Of een wilde kat...'
'Nee, dat geloof ik niet,' zegt Veerle.
'Er zitten hier geen ratten.
En ook geen wilde katten.'
'Hmm,' zegt Stijn.
'Het kan toch...'

Stijn doet een deur open.
'Hier komen de poezen,' zegt hij.

Naast de deur is een grote glaswand. Achter
dat glas is een kooi. Een kooi van gaas. Vanuit
de hal kijk je zo in de kooi.
Er staat een oude leunstoel. En mandjes met
kussens. Aan de muur hangen planken. Er
liggen ook speeltjes.
'Leuk!' zegt Veerle.
'Het lijkt wel een kamer.'
Veerle kijkt rond. Naast de eerste kooi zijn nog
drie kooien.
'Hoeveel poezen kunnen in zo'n kooi?'
'Vijf of zes,' vertelt Stijn.
'Maar we noemen het een verblijf.
Kooi klinkt zo raar.
De poezen komen eerst in een eigen verblijf.
Dan kunnen ze wennen.'
Stijn wijst naar een muur. Tegen de muur staan
kleine kooien.
Drie boven elkaar. En wel tien naast elkaar.
'Als ze gewend zijn, mogen ze in het grote
verblijf.
Zie je dat luikje?
Daar kunnen ze door naar buiten.'
'Naar buiten?
Lopen ze dan niet weg?'
'Nee, hoor.
Er zit gaas en glas omheen.

Daar staan palen om in te klimmen.
Ze kunnen er ook in de zon liggen.
Ze zijn daar buiten, maar ook binnen.
Kom.
Dan lopen we er even omheen.
Dan kun je het vanaf de buitenkant zien.'
Stijn loopt terug naar de deur.

Miauw!
Stijn draait zich om. Hij houdt zijn hoofd een
beetje scheef.
'Hoor jij wat ik hoor?' zegt hij zacht.
Veerle knikt.
'Ik hoor een poes.'
Stijn schudt zijn hoofd.
'Nee, volgens mij is het een wilde kat...
Hij heeft zich hier verstopt.
Kom mee.'
Stijn sluipt terug.
Miauw! Het klinkt nog een keer.
'Ssst,' sist Stijn.
Hij maakt zich klein.
'Het komt daar vandaan.'
Hij wijst naar de laatste grote kooi. Langzaam
sluipt hij verder.
Veerle bukt zich ook. Ze vindt het wel een
beetje raar. Ze heeft hier nog nooit een wilde

kat gezien. Maar als Stijn het echt denkt. Nog
een paar stappen...

'Spinsel!'
De kat van Stijn zit in het buitenverblijf. Hij
krabt met zijn poten tegen het glas. Hij kan er
niet uit. Het luik zit dicht.
'Wat doe jij daar?' roept Stijn.
'Wacht!
Ik help je wel.'
Stijn doet de deur van het verblijf open.
Dan tilt hij het luikje op.
Spinsel glipt erdoor.
En weg is hij.
'Ja, ja,' zegt Veerle, terwijl ze Spinsel nakijkt.
'Een wilde kat zei je toch?
Het is gewoon een domme kat.'

14. Zullen we posten?

'Hebben jullie al een naam?'
vraagt Veerle opeens.
'Een naam?'
'Voor het hotel.'
'Nee,' zegt Stijn.
'We weten het nog niet.
Mama vindt Beestenspul leuk.
Of Beestenbos.
Papa maakt het niets uit.
Mirjam is voor WafWaf.
Daar vind ik echt niks aan.
HinnikHinnik zou beter bij haar passen.
Ze is gek op paarden en pony's.
En Tamar kiest voor Honka.'
'Honka?'
Veerle trekt haar voorhoofd in rimpels.
'De eerste letters van hond en kat.'
'Oh, slim gevonden.'
'Hé, Veer,' zegt Stijn.
'Weet jij geen leuke naam?'
'Best.'
Veerle doet haar ogen dicht. Ze legt een vinger

tegen haar lippen. Het ziet er een beetje
vreemd uit.
'Ja,' zegt ze.
'Ik weet een naam.
Animalhouse.'
'Wat hous?
Zeg het nog eens.'
'Ennie mul houz.'
Veerle spreekt het woord langzaam uit.
'Wat is dat?' vraagt Stijn.
Het woord klinkt gek.
'Dat is Engels.
Het betekent dierenhuis.'
Stijn kijkt Veerle nadenkend aan. Dan trekt hij
zijn neus op.
'Nee.
Toch maar niet.
Onze dieren verstaan geen Engels.'
'Oké.
Dan verzin ik wel wat anders.'

Stijn loopt met Veerle naar buiten.
'En toch geloof ik het niet.
Dat van die scheur.
Als het geen kat is?
Wat is het dan wel?'
Veerle zucht.

'Waarom denk je er steeds aan?
Laten we met Doerak gaan spelen.'
Stijn schudt zijn hoofd. Hij trekt zijn neus in
een rimpel.
'Nee.
Doerak is veel te lui.
En veel te dik.
Hij heeft nergens zin in.'
'Dan moet hij juist spelen,' zegt Veerle.
'Dan gaat het vet er wel af.
Net als bij mijn vader.
Die is ook te dik.
Nu loopt hij elke avond hard.
Samen met mijn moeder.
Je moet hem zien als hij thuiskomt.
Hijg, hijg.
Puf, puf.
Het zweet druipt van zijn gezicht.
Maar hij valt er wel van af.'
Stijn kijkt naar Veerle. Maar hij luistert niet. Dat
zie je aan zijn ogen.
'Veer,' zegt Stijn opeens.
'Zullen we posten?'
'Posten?
Moet je een brief wegbrengen?'
'Nee,' zegt Stijn.
'Posten bij de zakken voer.

Ik wil het weten.'
'Ooo.'
Veerle aarzelt.
'Nou, goed,' zegt ze.
'Maar niet te lang.'

15. Geen slim plan

'Hier.'
Stijn geeft Veerle een deken.
'Doe dit over je heen.'
Veerle lacht.
'Het is net echt.
Waarom moet ik me verstoppen?
Wie denk je dat er komt?'
'Weet ik niet,' zegt Stijn.
'Maar zo kan niemand ons zien.'

Stijn en Veerle zijn in het magazijn. Aan één
muur hangt een werkblad. Daar liggen de
zakken voer onder en bakjes om water uit te
drinken.
In een hoek ligt een stapel dekens. Voor in de
manden.
'Kijk,' wijst Stijn.
'Die zak is kapot.'
Veerle ziet de zak. Tamar heeft hem dicht
geplakt. Met bruin plakband.
'Waar gaan we zitten?' vraagt Veerle.
Stijn kijkt om zich heen.

'Niet te dicht bij de zakken.'
'Laten we op de dekens gaan zitten,' stelt
Veerle voor.
'Die zijn lekker zacht.'

Even later zitten ze dicht naast elkaar. Elk met
een deken over zich heen. Het is een poosje
heel stil. Dan beweegt de deken van Veerle.
'Pffff,' zucht een stem onder de deken.
'Ik krijg het warm.
Ik doe de deken even af.'
'Nee,' sist Stijn.
'Dat kan niet.
Hou je nou stil.
Straks komt er iemand.'
Het hoofd van Veerle piept buiten de deken. Ze
haalt even diep adem. Dan gluurt ze om zich
heen.
'Ik zie nog niets,' zegt ze.
'Veer!' waarschuwt Stijn.
'Toe nou!
Zo lukt het nooit.'
Veerle duikt onder de deken. Maar na een paar
tellen…
'We kunnen ook brokjes strooien.
Om de dief te lokken,' bedenkt Veerle.
'Tot buiten de deur.

Misschien komt hij dan sneller.'
'Nee,' zegt Stijn.
Zijn stem klinkt een beetje boos.
'We moeten gewoon wachten.'
Veerle perst haar lippen op elkaar. Ze wil haar
mond dicht houden. Maar het lukt niet. Ze
moet gewoon wat zeggen.
'Zie je al wat?'
'Hoe kan dat nou?' fluistert Stijn.
'Ik zit onder de deken.'
'Ik vind dit geen slim plan,' zucht Veerle weer.
'Ik ga naar huis.
Er gebeurt toch niets.
Er is geen dief.
Die scheur zat er misschien al in.
Weet jij veel.'
'Toe, Veerle.
Nog even,' dringt Stijn aan.
Maar Veerle gooit de deken van zich af.
'Ik ga,' zegt ze.
'Ik niet!' bromt Stijn.
Veerle loopt het magazijn uit. De deur slaat
met een klap dicht. Dan is het weer stil.
Stijn schuift heen en weer. Nu zit hij hier
alleen. Nog een klein poosje. Dan gaat hij ook.
Misschien heeft Veerle toch gelijk...

Opeens....
Krrrr.
Stijn hoort een geluid bij de deur.
Krrrr...
Net of iemand over de deur krabt.
Stijn houdt zijn adem in. Dan gaat de klink
omlaag. De deur gaat open. Er komt iets naar
binnen. Stijn hoort het duidelijk.
Hij durft niet te kijken.
Er klinkt geritsel. Bij de zakken voer. Is het toch
een kat?
Er scheurt iets...
Er vallen brokken op de grond...
Stijn tilt zijn deken op.
Hij gluurt om een hoekje.
Maar dan...
Zijn ogen worden groot van verbazing.
'DOERAK?'

16. Ik weet het!

'Pap! Mam!
Waar zijn jullie?
Ik weet het!
Ik weet wie de dief is!'
Stijn rent het hotel door. Hij kijkt overal. Waar
zijn ze nou?

De voordeur staat open. Stijn holt naar buiten.
Daar is ook niemand te zien.
'MAM!
Waar bent u?'
Stijn schreeuwt het uit.
'Joehoe,' klinkt het zacht uit de schuur.
'Ik ben hier.'
Stijn struikelt naar de schuur. Hij trekt de deur
open.
'Mam...
Ik weet het.'
Stijn hijgt ervan.
Mama staat bij de werkbank. Ze spoelt een
verfkwast uit. In een potje met water. Het water
is helemaal blauw.

'Wat weet je?'
'Doerak is de dief!'
Mama kijkt Stijn verbaasd aan.
'Doerak de dief?
Wat voor een dief?'
'De brokkendief....'
'Wat zeg je nou?'
Mama draait zich om. Ze fronst haar
voorhoofd.
'Mam, weet u nog?
Toen Doerak die cake opat.
Toen kwam hij toch zelf weer binnen.'
Mama knikt.
'Toen waren we zo verbaasd.
Omdat Doerak zelf de deur open kreeg.
Dat doet hij nu ook.
Bij het magazijn.
Kom maar mee.
Dan kunt u het zien.'
Stijn trekt mama aan haar arm.
Mama zet de verfkwast in de pot. Dan droogt
ze snel haar handen af. Samen lopen ze vlug
naar het hotel.

'Kijk mam.
Daar is hij.'
Mama kijkt het magazijn in. Op de grond

liggen brokken. Doerak hapt ze lekker weg.
'Slimme stoute hond!' zegt mama.
Maar ze zegt het lachend.
Mama knielt bij Doerak neer. Ze slaat haar arm
om hem heen.
Dan kroelt ze door zijn vacht.
'Geen wonder dat je zo dik wordt.
Nu snap ik het.
Jij weet je kostje wel te vinden.
Maar daar maken we gauw een eind aan.
De deurknop gaat omhoog.
Net als bij kleine kinderen.'

Mama pakt Doerak bij zijn halsband.
'Kom,' zegt ze.
'Het is nu genoeg geweest.
Ik maak een eetplan voor je.
Die extra kilo's moeten er snel af.'

'Wat een grap,' lacht Stijn.
'Een echte brokkengrap.'
'Hé, Stijn,' roept mama ineens.
'Ik weet het!'
'Wat weet u?'
Stijn kijkt mama verbaasd aan.
'De naam voor ons hotel…
De brokkenbak.'
'De brokkenbak?'
'Ja.
Een ander woord voor grap is bak.
Elk dier in ons hotel krijgt brokken.
In een bak.
En onze eigen dieren…
Moet je zien welke brokken die maken.
Hotel 'De Brokkenbak'.
Dat moet het worden.'
Stijn luistert naar mama. Dan spreekt hij het
woord nog een keer uit.
'De brokkenbak.
Het klinkt leuk!'

17. Hotel 'De Brokkenbak'

Het hotel is klaar. Nog een paar dagen. Dan is
het feest.
Maar eerst is er nog iets anders…

'Stijn en Veerle!
Komen jullie?'
Papa staat voor het hotel. Samen met mama.
Tamar en Mirjam zijn er ook.
Papa houdt een bord vast. Daar staat iets op. In
mooie letters.
Stijn en Veerle komen de tuin uit. Doerak is bij
hen.
Het eetplan werkt. Doerak is al minder dik.
'Jij mag het bord ophangen.
Samen met Veerle.
Dankzij jullie hebben we een naam.'
Papa geeft het bord aan Stijn.
'Nee, pap,' roept Mirjam.
'Mama heeft het bedacht.'
'Dat klopt,' lacht mama.
'Maar Stijn bracht me op het idee.'
Stijn en Veerle stralen.

'Ik vind de naam echt leuk,' zegt Veerle.
'Ik ook,' zegt Stijn.
'Echt super.'
'Kom,' zegt papa.
'Hij moet voor aan de weg.
Onder het afdak.
Daar hangen haken.'
Ze lopen naar de weg. Papa heeft daar een afdak gemaakt.
Je kunt het goed zien. Zo rijd je het hotel niet voorbij.

Papa zet een trap neer.
Stijn klimt gelijk omhoog.
Maar als hij boven staat...
'Oeps.
De plank.'
Stijn roetsjt omlaag.
'Ik help wel,' zegt Veerle.
Zij klimt nu snel omhoog.
'Samen,' zegt Stijn.
Hij houdt de plank omhoog. Dan haakt Veerle de plank vast.
'Wacht,' roept mama.
'Ik maak een foto!'
Klik!
De foto is gemaakt. Ze staan er samen op.